La grande course d'escargots

adapté par Kim Ostrow

illustré par Clint Bond et Andy Clark

Basé sur le scénario *The Great Snail Race* par Paul Tibbitt, Kent Osborne et Merriwether Williams

PRESSES AVENTURE

© 2006 Viacom International Inc. Tous droits réservés. Nickelodeon, Bob L'éponge et tous les autres titres, logos et personnages qui y sont associés sont des marques de commerce de Viacom International Inc. Créé par Stephen Hillenburg.

Paru sous le titre original de : *The Great Snail Race.*

Ce livre est une production de Simon & Schuster.

Publié par PRESSES AVENTURE, une division de
LES PUBLICATIONS MODUS VIVENDI INC.
5150, boul. Saint-Laurent, 1er étage
Montréal (Québec)
Canada H2T 1R8

Dépot légal : 1er trimestre 2006
Bibliothèque nationale du Québec
Bibliothèque nationale du Canada

Traduit de l'anglais par Catherine Girard-Audet

ISBN 2-89543-334-8

Nous reconnaissons l'aide financière du gouvernement du Canada par l'entremise du Programme d'aide au développement de l'industrie de l'édition (PADIÉ) pour nos activités d'édition.

Gouvernement du Québec — Programme de crédit d'impôt pour l'édition de livres —
Gestion SODEC

C'était une journée ensoleillée à Bikini Bottom. Le facteur a frappé à la porte ! s'écria Carlo Le Calamar. Je n'arrive pas à croire qu'elle soit finalement arrivée.

Le facteur jeta un coup d'œil à la signature de Carlo Le Calamar.

- Merci, Monsieur... hum... Calme Mort.
- Calamar ! corrigea Carlo.

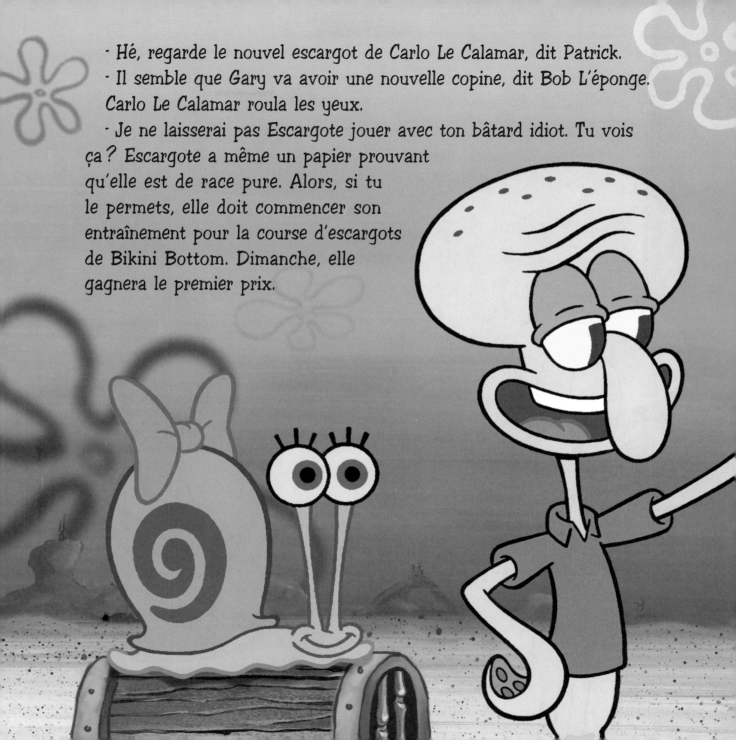

- Hé, regarde le nouvel escargot de Carlo Le Calamar, dit Patrick.

- Il semble que Gary va avoir une nouvelle copine, dit Bob L'éponge.

Carlo Le Calamar roula les yeux.

- Je ne laisserai pas Escargote jouer avec ton bâtard idiot. Tu vois ça ? Escargote a même un papier prouvant qu'elle est de race pure. Alors, si tu le permets, elle doit commencer son entraînement pour la course d'escargots de Bikini Bottom. Dimanche, elle gagnera le premier prix.

- Eh bien, j'imagine que je ne peux pas inscrire Gary à cette course, dit Bob L'éponge. Dimanche est le jour de la buanderie !

Carlo Le Calamar soupira.

- Tu ne peux pas inscrire Gary parce qu'il n'est pas de race pure ! Mais Escargote a les papiers qui le prouvent ! ditil en tendant son fameux document à Bob L'éponge.

- Mmm... Propriété de Carlo Le Calorifère, lut Patrick.

- Calamar ! corrigea Carlo.

ATTESTATION DE PEDIGREE

Escargote

PROPRIÉTÉ DE CARLO LE CALAMAR

· Patrick, est-ce que tu penses la même chose que moi? demanda Bob L'éponge.

· Ouais, dit Patrick. Je devrais m'acheter un escargot et l'inscrire à cette course pour battre Carlo Le Calamar.

· Non, non, non! s'écria Bob L'éponge. Je pense à inscrire Gary à cette course et vaincre l'escargot de Carlo Le Calamar.

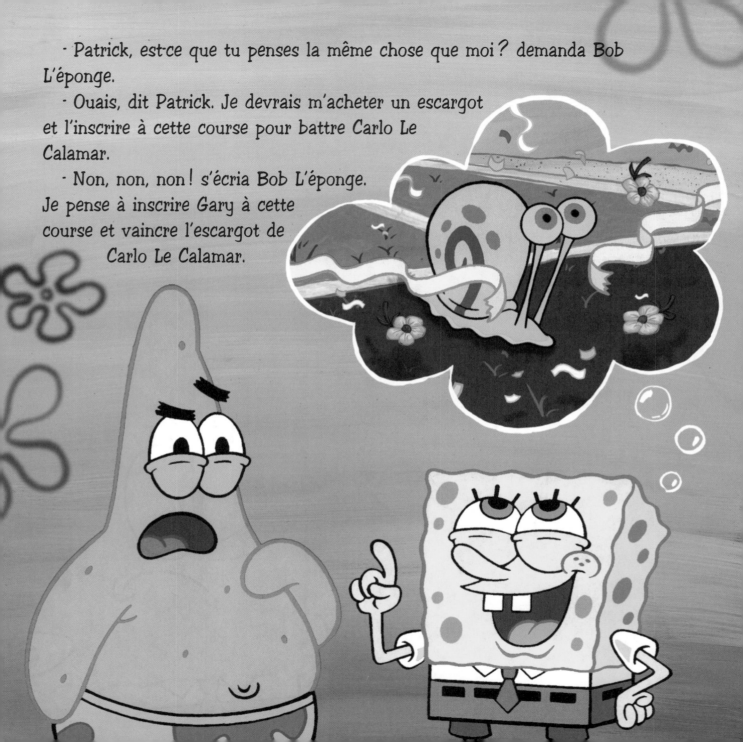

Bob L'éponge avait beaucoup de travail à faire pour permettre à Gary de retrouver la forme. Il prépara d'abord un lait fouetté nutritionnel pour son escargot.

- Miaou, dit Gary.

- Bien sûr que je m'attends à ce que tu manges ça, dit Bob L'éponge. C'est conçu scientifiquement pour t'aider à gagner la course de demain.

Gary jeta un coup d'œil à la boisson et rampa pour sortir de la pièce.

Patrick débarqua chez Bob L'éponge pour lui montrer son nouvel escargot.

- Ton escargot est une roche, dit Bob L'éponge.

- Oui, je sais, dit fièrement Patrick. Il a des nerfs d'acier. Je te verrai à la course !

Bob L'éponge se rendit compte que la compétition devenait féroce.

Bob L'éponge souffla dans son sifflet.

- Commençons par sprinter. À vos marques, prêts, partez !

Gary bougea à peine.

- Allez Gary ! s'écria Bob L'éponge. Tu dois commencer à t'entraîner si tu veux gagner. À cet instant, Carlo Le Calamar passa la tête à travers la fenêtre.

- Ne gaspille pas ta salive, Bob L'éponge. Ton bâtard n'a aucune chance, dit Carlo Le Calamar avec assurance.

- D'accord Gary, assez traîné, ordonna Bob L'éponge. Allez, bouge! Monte, monte, monte! Descends, descends, descends! Plus vite, plus vite, plus vite! Allez! Allez! Allez!

Le jour de la course arriva enfin.

- Eh bien, Bob L'éponge, je ne croyais pas que ton bâtard trouverait la ligne de départ, ricana Carlo Le Calamar. Félicitations.

- Garde ton discours pour les perdants, dit Bob L'éponge. Gary n'a jamais été en aussi grande forme de sa vie.

Gary toussa et respira péniblement.

Bob L'éponge donna son dernier mot d'encouragement à Gary.

- Écoute bien. Tu es l'escargot le plus nul. Tous te croient déjà en dehors de la course. Maintenant va là-bas et gagne !

- Miaou, murmura Gary.

- À vos marques ! s'écria l'arbitre. Prêts ! Rampez !

- Et ils sont partis, dit le présentateur. Le numéro six, Escargote, file comme une fusée, laissant les deux autres mordre la poussière.

- Allez, Escargote ! Tu y es, ma grande ! applaudit Carlo Le Calamar.

Bob L'éponge n'avait pas cette chance. Gary n'avait pas bougé de la ligne de départ.

- Qu'est-ce que tu fais, Gary ? s'écria Bob L'éponge. La course a commencé. Allez ! Bouge ! Tu es en train de gâcher tout l'entraînement que nous avons fait !

L'escargot de Patrick se trouvait aussi à la ligne de départ.

- Ça va, Rocheux, dit Patrick. Tu y vas lorsque tu en as envie.

Gary se mit lentement à bouger. Il haleta péniblement et se traîna en avant.
Ce n'est pas assez ! s'écria son entraîneur. Plus vite !

Plus Bob L'éponge criait, plus Gary essayait d'avancer rapidement. Mais c'était inutile. Gary était épuisé.

- Cet entraîneur pousse son escargot beaucoup trop loin, dit le présentateur.

Tout à coup, l'œil injecté de sang de Gary éclata comme un pneu !
- Il semble que le numéro sept ait eu une crevaison, dit le présentateur.
L'autre œil de Gary éclata peu de temps après.

- Ça en fait deux, mesdames et messieurs, dit le présentateur.
- Hum... Gary, tu peux arrêter maintenant, dit Bob L'éponge.
Gary fit alors un tête-à-queue... et se dirigea directement vers le mur ! BANG !
La foule resta bouche bée.
- Noooooooon ! s'écria Bob L'éponge. Attends, Gary, j'arrive !

Bob L'éponge courut aux côtés de Gary.

- Un des entraîneurs a couru sur la piste. Cela le disqualifie automatiquement. Mesdames et messieurs, il semble que le numéro six ait la victoire dans la poche, dit le présentateur.

Carlo Le Calamar applaudit.

- Allez, Escargote. La piste est à toi !

- Oh, Gary, s'écria Bob L'éponge. Pourquoi ne m'as tu pas dit que je te poussais trop fort ?
- Miaou, dit Gary.
- Tu l'as fait ? demanda Bob L'éponge. Oh, Gary, pourquoi ne m'as-tu pas dit que je ne t'écoutais pas ?
- Miaou, répondit Gary.
- Tu l'as fait ? Oh, Gary ! gémit Bob L'éponge.

Tout à coup, l'escargot de Carlo Le Calamar arrêta d'avancer. Elle se retourna pour regarder Gary, puis elle s'empressa de venir à ses côtés. Les deux escargots se regardèrent dans les yeux et ronronnèrent.

- Mesdames et messieurs… Nom d'un…, dit le présentateur. Je n'ai jamais rien vu de semblable. Il semble qu'Escargote, la favorite, ait rebroussé chemin pour réconforter Gary.

- Il semble que nous soyons parents par alliance. N'est-ce pas, Carlo ? dit Bob L'éponge.

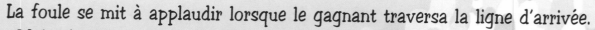

La foule se mit à applaudir lorsque le gagnant traversa la ligne d'arrivée.

- Mais c'est impossible, dit Carlo Le Calamar. Si Escargote n'a pas gagné, alors de qui s'agit-il ?

- Et le gagnant est... s'écria le présentateur, Rocheux !

La foule était en délire ! Patrick se mit à rire jusqu'à en pleurer.

Carlo Le Calamar se mit à se plaindre.

- Mon escargot pure race qui m'a coûté mille sept cents dollars vient de perdre contre une roche.

Patrick courut aux côtés de Carlo Le Calamar.

- Ne t'en fais pas, Carlo. Je sais à quel point tu voulais gagner, alors j'ai fait graver ton nom sur le trophée.

Carlo Le Calamar prit le trophée dans ses tentacules.

- Wow, Patrick, merci ! Il regarda la plaque et la lut à voix haute. Le trophée pour le gagnant de la course d'escargots revient à Carlo *Le Canard*.

Patrick et Bob L'éponge passèrent joyeusement leur bras autour de leur ami.

- Vais-je gagner un jour ? grogna Carlo Le Calamar.

CARLO
LE CANARD